# 채움의 일상

채움의 일상

발　행 | 2023년 11월 11일
저　자 | 김미영
펴낸이 | 한건희
펴낸곳 | 주식회사 부크크
출판사등록 | 2014.07.15.(제2014-16호)
주　소 | 서울특별시 금천구 가산디지털1로 119 SK트윈타워 A동 305호
전　화 | 1670-8316
이메일 | info@bookk.co.kr

ISBN | 979-11-410-4981-2

# 채움의 일상

김미영 지음

# CONTENT

# 들어가는 말

어린 시절은 물론이고 불문학이 전공이던 대학 시절 까지도 나에게는 《어린 왕자》가 어렵고도 감동으로도 다가오지 않았다. 기독교 성서 다음으로 많은 언어로 번역 되었다는 것은 그만큼 세계인으로부터 사랑받았다는 뜻 일 텐데 감동은커녕 이해하기 어려워 오랫동안 마음의 짐 같은 존재였다.

그런데 최근 우연히 다시 접하게 되면서 "마음으로 보아야 잘 볼 수 있어" "사막이 아름다운 것은 그것이 어딘가에 우물을 감추고 있기 때문이야" "집이든, 별이든, 사막이든 그것들을 아름답게 하는 거는 보이지 않는 법이지" "가장 중요한 것은 눈에 보이지 않아."

세상에서 가장 아름다운 것은 볼 수도 만질 수도 없고 오직 마음으로만 느낄 수 있는 사랑, 우정, 감사, 행복이 아닐까? 이제야 가슴으로 그 해답을 찾은 것 같다.

이제까지는 뒤돌아 볼 사이 없이 바쁘게 나, 가족을 위해 살아왔다면 이제 리본 (reborn)의 나이에 이른 만큼 세상에서 가장 아름다운 것들로 채워 가는 일상이 되었으면 좋겠다.

# 제1화 사랑

## 1. 음식이야기 I.

 내가 다녔던 국민학교 (그 당시 호칭 그대로)는 자그마치 1학년 때부터 월말고사가 있었다.

 평균 90점이 넘으면 상장을 주고 한 학기에 4번 다 상장을 받으면 방학식 때 성적 우수 상장을 주는 시스템을 가진 아주 교육열이 대단한 학교였다.

 나의 어머니를 포함한 친하게 지내시는 총 5명의 어머니들께서는 아직 어린 우리들을 대신해서 교실 대청소도 해주시고 모두 첫째 아이들이니 무엇보다도 교육에 열정적이셨다. 그러다 보니 우리 5명은 매달 상장을 받는 거는 당연한 일이었다. 그런데 5명 중에서 평균이 가장 높은 친구의 어머니께서 기분이 좋아 한 번 밥을 사시게 된 게 관례가 되어 버리고만 것이다.

 신촌 로터리에 있는 큰 건물의 식당에 어머니들과 아이들, 모두 10명이 가서 생전 처음 보는 국물 없는 빨간색의 국수를 먹었는데, 색깔과 달리 맵지도 않고 고소하고 달짝지근한 그 음식 이름이 <이태리 국수>라고 했다.

식사비가 꽤 나왔을 텐데도 밥을 내시는 어머니는 한껏 기분이 좋으셨고 다른 어머니들은 축하해 주시면서도 뭔가 부러워하시는 모습 ㅠㅠ

우리는 시험 끝내고 맛있는 <이태리 국수> 먹으니 입 안 가득 국수를 물고 철없이 장난치고 그랬다.

그러나 시간이 지나면서 점차 우리도 철이 들어가는지 엄마의 자존심을 지켜 드릴 건지, 엄마의 지갑을 지켜 드릴 건지 (지갑을 지키겠다는 생각은 주로 개구쟁이 남학생들의 발상 이었다.) 고민하기 시작했다.^^

그 당시는 학교가 월말고사로 우리를 괴롭히는데 더 해서 <이태리 국수> 타임이 은근히 엄마의 눈치를 살피게 하기는 했지만 국민학교 때를 생각하면 귀한 <이태리 국수>를 실컷 먹었던 1학년 때가 가장 추억으로 남는다.

그때의 그 빨간 <이태리 국수>가 바로 스파케티라는 것은 고등학교 때 알게 되었고, 나중에 이태리 대사관에서 근무하며 이태리 음식을 접할 기회가 많았고, 동료들에게 여러 가지 스파게티 요리법도 배우

게 되었다.

　참치 스파케티, 봉골레 스파케티, 까르보나라 스파케티, 페스토 스파케
티 등 열심히 배워서 식구들에게 소개 하는 재미도 쏠쏠 했다.

　특히 어머니께서도 내가 새로운 스파게티를 해드리면 참 맛있다고 하
시며 엄마와 나만 아는 스파게티의 추억을 이야기 했다.

"애, 그때 내 자존심 좀 더 세워 주지 그랬어?"
"엄마, 그래도 한 번은 했는데.~"

그러나 이제는 더 맛있는 레시피를 찾아내도 엄마와 옛 이야기하며 티격태격할 수가 없다.

재작년에 갑자기 간암이 악화되어 보내드릴 준비도 하기 전에 아버지 곁으로 가셨기 때문이다.

늘 나에게 칭찬으로 용기를 주시고 또 사위를 사랑해 주시고, 손자,

손녀를 너무나 자랑스러워 하셨던 내 엄마, 내 어머니.

 젊었을 때 의사가 되고 싶으셨던 어머니는 완고한 외할아버지 반대로 꿈을 이루지 못하셨다고 한다.

 '어머니가 하늘나라에서는 꼭 의사로서 꿈을 이루시게 해달라고' 기도하고, 또 기도드리며 어머니에 대한 그리움과 지켜드리지 못한 죄송함을 하느님께 의탁해 본다.

## 2. 음식 이야기 II.

오늘은 누구나 좋아하지만 집에서는 안 만들어 먹는 피자에 대해서 이야기해보려고 한다.

모두 알다시피 피자는 이태리에서 유래하여 이태리 대표음식이 되었고 후에는 이민자에 의해 미국으로 전해지고 다시 미국식으로 바뀌어 전 세계에 알려진 대표적 음식이다.

밀가루, 토마토소스, 치즈로만 만들어도 그 독특한 맛이 일품인 마르게리타 (.Margherita) 피자는 이태리 땅을 벗어나면 그 맛을 재현할 수 없으니 참 신기하기도 하다. (아마도 이태리 토양과 자연환경에서 오는 프리미엄 때문이 아닐까 ?)

그러한 이유로 일찌감치, 어설픈 이태리 피자 흉내 내기보다는 한국 땅에서 우리가 먹기 좋은 나만의 피자를 굽기 시작했다.(쓰고 보니 너무 거창 해지는 것 같은데, 나는 지극히 평범한 가정주부 ^^)

어렸을 적에 엄마가 식빵에다 케첩과 통조림 옥수수알과 약간의 마요네즈와 슬러시 치즈를 얹어 구워 주셨던 신기한 빵의 기억을 가지고, 내가 피자를 구워봐야겠다고 나섰던 것도 어언 26년 전 일이다.

지금 생각해 보면 쥐구멍에라도 숨고 싶지만 가족모임에 자칭 피자를 구워 가면 시아버님께서 참 맛나게 잡수셨다.

가족 모임에서도 인기 있는 나만의 트레이드마크가 되었던 것 같다.

귀 동양 하고 이태리 레시피 찾아보고 해서 완성된 나의 레시피는 :

♣ 31cm 원형 팬 2개 혹은 20cm×38cm 네모 팬 1개 기준 ♣

1〉 소고기 간 것 300g, 마늘 5~6쪽, 버터 30g, 후추 조금, 적포도주 1컵

; 부엌칼 옆면으로 누른 마늘을 버터 녹인 팬에 넣어 향을 내다가 소고기를 넣어 볶아주고 고기가 90% 익으면 포도주를 부어서 저어가며 포도주가 거의 증발할 때까지 볶는다. 후추 약간을 넣는다.

2〉 잘게 다진 양파 200~250g, 다진 당근 100g, 잘게 자른 샐러리 60g (양송이버섯이나 느타리버섯 다진 거로 대처해도 된다), 올리브유 5 큰 술

; 소고기 볶아 놓은 것에 섞고 야채가 숨이 죽을 때까지 볶는다.

3〉 토마토 통조림 (아주 중요) 400g, 소금 적당히, 건 오네가노 (이태리 향신료로 건 바질 잎으로 대체해도 되지만 오네가노의 풍미가 더 좋다)

; 토마토 통조림을 볶아놓은 재료 2〉에 넣고 불을 세게 해서 끓기 시작하면 가끔 저어가며 2시간 정도 아주 약한 불에서 졸여 줘서 거의 물기가 없게 하고, 오네가노와 소금을 넣어서 마무리한다.

4〉 소스가 졸여지는 동안 물 200g, 설탕 2Ts, 소금 2ts, 식용유 3Ts, 강력분 400g, 이스트 2ts 순서로 넣어서 (재료 담을 때  이스트가 설탕, 소금, 기름과 닿지 않아야 한다.)

; 손 반죽은 40분하고 따뜻한 곳에서 40분 발효 시키거나 반죽기로는 반죽 코너로 (1시간 20분)  작동시킨다.

5〉 슬라이스 한 블랙 올리브 20개,  껍질 벗겨 자른  파프리카 빨강, 노랑 1개씩.(없으면 생략 가능) 모차렐라 피자치즈 500g

; 오븐은 200도에 10분 예열해둔다.

반죽을 잘 밀어 팬에 얹고 포크로 반죽을 군데군데 찍어서 반죽의 부풀림을 예방해 준다. 반죽 위에 치즈를 가볍게 깔고, 소스 얹고, 토핑 얹고, 치즈를 올려서 예열된 오븐에서 20분간 굽는다. 완성 ~

약간은 국적이 모호한 피자이지만 모두들 맛있다고 해서 손님도 여러 번 치르고 선물도 많이 했던 것 같다.

그리고 시아버님께서는 요즘도 내 피자를 제일 맛있다고 하시니 오늘도 피자를 굽는다. ^^

# 3. 다홍치마

내가 이 이야기를 들은 것은 10년도 전의 일이다.
박 완서 작가님이라면 소설 한편이 완성될 텐데….

나의 재능 없음을 탓하며 가슴에만 품고 있었던 이야기를 용기 내서
꺼내 보려고 한다.

132년 전에 강원도 삼척에 김계화란 아이가 있었다. 어려서부터 영특
하고 사리가 밝아서 부모님의 사랑도 많이 받았다. 유년 시절은 여느 여
자아이들처럼 어머니께 바느질도 배우고 길쌈질도 도우며 평범하지만
행복하게 지냈다.

어머니께서는 너무나 의젓하고 참한 계화를 언젠가는 시집을 보내야
한다는 아쉬움에 ;

"우리 계화는 이따금 어떤 사람에게 시집갈 거나 ?"
"애, 어머나도 참." 볼이 빨갛게 변한 계화는 쑥스러워 저만치 달아
나 버렸다.

시간이 흘러 참한 계화에게는 아랫마을에 글을 많이 배운 임흥철과
혼담이 오고 가고 어른들이 결정을 내리니 혼사가 이루어졌다.

그 당시는 다 그러 하듯 얼굴 한번 안 보고 결혼했으나 4살 아래의
신랑은 글을 많이 해서 그런지 아는 것도 많고 계화의 마음을 점점 설
레게 했다.

결혼 일 년 만에 살림 밑천이라고 하는 예쁜 딸도 낳고, 딸의 재롱에
밖에 일 나갔던 신랑도 얼른 돌아와 아이를 어르는 등 아주 신식 아버
지의 모습을 보여 주었고, 시부모님과 남편, 아이의 웃음소리에 부엌에
서 일하던 새색시 계화도 행복해서 눈물이 났다.

그런데 이어서 딸을 낳게 되고서부터 시부모님의 싸늘한 눈초리가 느
껴지기 시작했다. 시어머니께서는

"이집 대를 끊어 놓을 셈 이노?"
"아들 하나를 못 낳노?"

"쯔쯔쯔."

이런 구박을 서슴지 않으셨고 아이의 젖을 먹이는 것조차 숨어서 몰래 먹이며 서러움을 참아야 했다.

그사이 손아래 동서들은 아들을 떡 하니 낳아서 집안의 제사 때도 자리 차지하고 아이 젖을 물리고 있으면, 큰 며느리지만 계화는 등에 아기 업고 첫째 딸을 달래가며 부엌에서 온갖 일을 혼자서 해내야 했다.

그런데 세상은 참 얄궂게도 아이가 또 생기고 이번에도 또 딸을 낳았다.

서슬이 퍼런 시어머니께서는 아예 "대문 닫아라." (이 집에 발 들여놓지 마라) 하신다.

딸 셋을 낳아 온갖 집안일을 도맡아 밤늦게까지 하고 밤이 되어서야 울다 지친 천덕꾸러기 딸들의 잠든 모습을 보며 얼마나 많은 밤을 울며 지새웠는지 몰랐다.

그러나 심성이 착한 계화는 모든 게 자기의 책임이라는 생각에 이른 새벽, 아직 가사 일이 시작되기 전 정성으로 부처님께 빌고 또 빌었다.

"부처님 노여움 푸시고 예."
"그리고 아들 하나 꼭 점지해 주시오."
"이렇게 비나이다. 예."

계화의 정성이 부처님께 닿았는지 그렇게 기다리던 아들이 태어났다. 이제는 할 도리를 다 한 것 같고, 다시 시부모님도 노여움을 푸시고 손녀들을 예뻐해 주실 거란 기대에 계화는 복덩이 아들을 꼭 끌어안았다.

그러나 아들이 백일이 지나자 시어머니는 손자를 안고 안방으로 올라가 버리셨다. 귀한 손자가 며느리 품에 있으면 귀한 손자 복이 달아난다는 이유에서였다.

딸을 셋이나 낳아서 젖도 잘 안 나오는 어미가 뭐 필요하냐며 동네의 젊은 엄마에게 데려가 젖을 먹이기까지 했다.

아들을 지척에 두고도 안아 보지 못하는 엄마의 마음은 그 누가 이해할 수 있을까?

그런데 계화에게는 더 큰 시련이 기다리고 있을 줄이야?

그 모진 시집살이를 그래도 남편의 따뜻한 한마디에 버텼는데 아들을 보고 나니 아들 욕심이 더 생긴 남편이 같은 동네에 사는 작은 부인을 얻은 것이었다.

계화는 이제는 더 버틸 힘도 없고 미래도 없었다. 남편이 더없이 밉고 또 미웠으나 내색도 못 하고 단지 먼발치에서 착하고 영특하게 자라고 있는 아들을 바라만 볼 뿐이었다.

세월이 흘러 어른들은 돌아가시고 아들을 보겠다고 얻은 작은 부인은 딸을 둘 낳았다. 혼자서 아이들 4명을 시집, 장가 다 보내고 집안의 대소사, 제사를 도맡아 하는 계화씨와는 달리 한동네에서 살며 집에 들어오지 않는 남편을 둔 여인의 마음에는 무엇이 남아 있을까?

나중에 손자를 보고서야 돌아온 남편에게 너무 오랜 세월 동안 응어리의 골이 깊은 계화씨는 따뜻한 한마디가 나오지 않았고 악다구니만 남았다.

이제는 남편과의 대화는 단절된 지 오래되었고 한집에 살아도 남 같은 관계에 계화씨는 며느리와 옛이야기하며 손자를 보는 낙에 살던 어느 날 며느리를 불렀다.

"에미야 내가 죽거든 나는 베옷을 입히지 말고 장롱 서랍에 넣어놓은 다홍치마를 입혀서 보내주어야 한다."

"예? 어머님 무슨 말씀이세요? 왜 그런 말씀을……"

"저 영감이 이승에서는 그렇게 속을 썩였지만, 내가 저승 갈 때 시집올 때 입었던 다홍치마를 입고 가 있으면 다시 찾아오지 않을까 해서."

"…………"

시어머니의 한 맺힌 유언을 들은 며느리는 가슴이 먹먹했다.

계화씨는 삼척에서 돌아가셔서 삼척에 묻히셨고 흥철씨는 아들 따라

서울로 이주해서 서울서 사시다 돌아가셨기에 죽어서도 함께 하지 못하시다가 10년 전에 후손들이 조상 묘 합장 이장을 하면서 드디어 만나게 되었다.

내가 대학교 여성학 시간에 보았던 여성 잔혹사 < 물레야 물레야 > 영화만큼 너무 가혹한 이야기를 들었던 순간..

불쌍한 계화님의 이야기를 글로라도 살려내서 위로해 드리고 싶었다. 그리고 지금 우리의 감성으로는 도저히 이해되지 않는 우직하고도 가슴

아픈 영원한 사랑에 대해서 존경을 표하며 이 글을 마친다.

## 4, 난 네가 좋다.

그냥 난 네가 좋다
그냥 난 너라서 좋다
다른 것 내게 중요치 않다
너 죄 있든 없든
난 너만을 사랑 한다

그냥 난 네가 좋다
그냥 난 너라서 좋다
그냥 네 모든 게 좋다
난 영원히 너만을 사랑 한다

그냥 난 네가 좋다
그냥 난 너라서 좋다
다른 것 내게 중요치 않다
너 죄 있든 없든
난 너만을 사랑 한다

그냥 난 네가 좋다
그냥 난 너라서 좋다
그냥 네 모든 게 좋다
난 영원히 너만을 사랑 한다

그냥 네 모든 게 좋다
난 영원히 너만을 사랑 한다

김하경씨가 작사, 작곡하고 꽃동네 수도자 찬미단 등 여러 버전으로 불리고 있는 생활 성가로, 요즘 내가 푹 빠져있고 내가 좋아하는 노래다.

곡도 좋고 특히 가사가 참 좋아서 길 가다가도 흥얼거리고 주변에 마음이 지친 친구가 있으면 위로해 주기 위해서 보내주는 노래이기도 하다.

노래를 듣고 있으면 사춘기적에 설렘도 생각나고 어른이 되어서 사랑하는 가족이 생겨 기쁜 일, 가슴 아픈 일, 화나는 일 등 희로애락을 겪을 때 마음도 생각난다.

지금의 나에게는 가족과 친구들은 물론 공부같이 하면서 알게 된 동료들, 선생님들, 일로서 알게 된 사회적 친구들, 성당 교우들, 자주 가는 슈퍼의 사장님, 동네 칼국수 집 서빙하시는 분, 새벽 6시면 어김없이 문을 여는 부지런한 동네 헬스클럽 관장님, 노원에 같이 사는 우리 노원 주민들, 지금 같은 시간을 살고 있는 우리나라 시민들이 모두 사랑의 대상이다.

정말 그냥 난 너라서 좋다!

최근에 우크라이나와 러시아의 전쟁, 이스라엘과 하마스의 전쟁, 각국 간에 무역 전쟁을 보면 참 안타깝다.

경쟁과 욕심과 아집이 더 큰 미움을 낳고 불쌍한 희생자를 양상 해내는 것 같다.

지금 이 순간 내가 손해 봐서는 안 될 것 같고 내가 억울한 것 같지만 모든 것은 다 지나가는 것 아닐까?

미움과 욕심을 지우고 ″함께″ 하다 보면 모두 사랑으로 살 수 있을 텐데….

그런 의미에서 남북 간에도 그냥 한 민족이니까 다른 것 중요치 않고 죄 있든 없든 너만을 사랑하는 사이가 되었으면 좋겠다.

# 제2화 우정

## 1. 학부모 모임

오늘은 딸아이의 고등학교 때 학부모 모임이 있는 날이다. 고등학교 때 인연을 맺었으니 벌써 15년간의 우정이다.

오랜만의 외출이니 3일 전부터 남편에게 통보하고 토요일 점심 모임을 향해 호기 있게 집을 나서 본다.

익선동에 있는 한옥 음식점.

'심한 길치인 내가 그 구불구불 하고 어려운 익선동 골목길을 지도앱 으로 찾아 갈 수 있을까?'

'홈페이지에 들어가 주소 확인도 꼼꼼히 해서 종로 3가 지하철역 9번 출구에서 7분 거리라는 것도 숙지했으니 괜찮을 거야.'

그러나 막상 지하철 역사 밖으로 나오자 '여기는 어디, 나는 어디로 가야 하나 '@ @

지난번 연금 대학 현장 실습 때에 길 찾기를 완벽히 숙지 해두지 못한 게으름에 발목이 잡히고 말았다.

정신을 집중하고, 현장 학습이 끝나고 조명주 선생님이 가르쳐 주셨던 지도 보는 법을 떠올리며 또각또각 ….

도중에 코너를 놓치자 지도에 친절하게 나타나는 표시에 감탄하며 되돌아서 매의 눈으로 지도와 주변 간판을 확인하며 정확하게 도착! (길바보인 내가 드디어 해냈다!!!)

아직 테이블 세팅이 준비 안돼서 웨이팅을 하는 동안 예쁜 식당의 모습을 마구 카메라에 담았다.

요즘은 화려한 것 보다는 소박한 우리의 전통적인 것들이 더 멋스럽다고 느껴진다.

옛 조상들도 한옥을 정말 예쁘게 지었고 그 후손인 현대 사람들은 불편한 점들을 개선하여 또 어쩌면 이렇게 예쁘게 재탄생 시키는지 솜씨가 보통이 아니다.

〈 편안한 느낌의 식당 내부 모습 〉

모임의 대표 어머니로부터 전화가 왔다. 장소 찾기가 어려워서 지하철 역에서 모여 함께 가려고 하는데 어디쯤이냐고 물어보셨다.

"저는 식당에 도착했어요. 천천히 조심해서 오세용."

콧소리까지 섞어가며 여유롭게 대답하고, '연금 대학에서 미리 해보길 잘 했지.' 하며 으쓱 해본다.

〈 한옥의 행랑채가 이렇게 예쁜 독채로 꾸며졌다. 〉

정갈한 분위기와 멋스러운 소품을 감상하고 있는데 반가운 분들이 도착 했다.

아이들은 취직하고 결혼도 하고 변화가 많았으나 우리들은 15년 전
감성과 외모를 그대로 보존하고 있음에 서로 청찬의 시간을 일단 갖고,

아이들 근황, 여행 에피소드, 건강, 주식, 교육과 실추된 교권에 대한 걱정, 잼버리 대회, 나라의 미래에 대한 걱정 ( 중년 여성들이 모이면 어떤 주제로 이야기 할까 궁금한 분들을 위해서 살짝 공개 ~)이 주로 주제였다.

남편 자랑 ( 자랑이라고 해야 남편들의 지지가 계속될 것 같아서 ^^ )의 타임도 갖고….

먹음직스러운 생선가스와 맛만큼 비주얼도 일품인 히레가츠가 연이어 세팅 되어졌다.

〈 맛도 좋고 양도 넉넉해 다이어트에 방해될 것 같은 함박스테이.크 〉

맛있는 음식과 좋은 사람들과의 자리는 대화가 샘솟고 시간은  모터를 달아 놓은 듯….

밖에는 비가 얌전하게도 소곤거리고, 우리는 헤어지기 아쉬워　장소를 옮겨 차 마시러 가기로 하고 익선동 거리로 나섰다.

골목은 좁고 구불거리기는 하지만 곳곳의 소품 숍과 특색 있는 식당, 디저트 가게들은 저마다의 이야기와 보물을 품고 있는 듯했다.

카페를 찾아가다 보니 잼버리 대회 대원들도 곳곳에 눈에 띄었다.

비록 우여곡절이 많았지만 우리국민들의 따뜻하고 친절한 마음은 가득 느끼고 돌아갔으면 좋겠다는 바람을 해보았다.( 노원 구에서도 갑작스레 대원 400여명에게　편의를 제공했다. )

이번에 연합뉴스에 경력직으로 이직하게 된 재근이 어머니께서 맛있는 케이크와 커피를 사주셔서 맛있게 먹으며 못다 한 2라운드의 이야기 자리를 가졌다.

우리는 아이들이 입시를 치르며 힘들 때 같이 마음고생을 했던 엄마들이라 우리의 우정은 전우애에 가까운 것 같다.
모두들　다음 모임 때까지 건강하시길 ….

## 2. 여고 동창

어제 지완이가 미국으로 들어갔다. 한국에 있던 5년 동안은 늘 친구가 옆에 있을 것만 같았는데 막상 시간이 되어 떠나고 나니 마음 한구석이 텅 빈 느낌이 든다. 미술을 전공하고 미술에 진심인 친구는 아직도 현역에서 미술 지도를 하고 있는데, 미국에 가서도 하던 일을 무리 없이 잘 해내리라 믿는다.

우리는 홍익여고 1학년 때부터 친하게 지내던 사이로 항공사에 근무하는 보은이, 글재주 많고 부지런한 혜수, 내가 제일 못하는 댄스가 수준급인 형미, KBS 공채 10기 탤런트 경선( 2015년 작고), 지완이 그리고 나 이렇게 모두 6명이다.

　고등학교 들어와 아직 서먹할 때 반 대항 합창대회를 준비하며 소품 만들려고 남대문 시장을 뒤져서 천을 끊어다 바느질도 함께 하고, 다른 반 보다 더 잘 하기 위해 아이디어 회의도 하며 친하게 되었던 것 같고, 학급 일에 열심히 참여한 우리들을 담임선생님께서도 특히 예뻐해 주셨던 것 같았다.

　대학생이 되어서는 날개를 단 듯 열심히 몰려다니고, 놀러 다니고.. 인정 많은 보은이는 항상 사진을 찍어서 기록을 남겨 주었고, 혜수와 지완이는 패션을 리드해갔다. (애들을 얼마나 센스가 있던지 ^^)

　항상 차분 하고 조리 있게 의사 표현을 똑 부러지게 하는 형미 덕분에 지나침이나 치우침은 조심할 수 도 있었다.

그러다 1명씩 시집가고 경선이는 TV 탤런트가 되었다.

육아와 직장 생활을 병행해서 바빠도 틈틈이 만나서 수다를 한 사발씩 내놓고 다시 심기일전 했다. 특히 형미는 쌍둥이 엄마가 되어 우리를 놀라게 했지만 두 아들을 아주 잘 키웠다.

8년 전에는 경선이의 갑작스러운 비보에 힘들었지만 그래도 다행히 한참 활동할 당시 찍었던 드라마에서 친구를 볼 때면 예쁜 모습의 경선이가 우리 곁에 있는 듯하다.

우리가 알고 지낸지 43년, 나이도 회갑에 이르지만 우리는 서로
"누가 너 보고 60 세라 하겠니?"
"애 너는 더 하다."
"아이돌이 쫓아올 것 같아." "하하 호호.."

우리는 다짐한다. 건강하고 알차게 나이 먹어 가자고.

60세는 노인의 문턱을 넘는 나이가 아니다. 리본(reborn)의 시대가 시작된 것이다.

친구들아, 우리 이제부터 내가 < 하고 싶고 > < 잘 하고 > < 좋아하는 것 >에 집중해서 '우주에 발자국' 남겨 보자.

모두 사랑해.~

# 3. 천문대 방문기

8월 15일 광복절에는 사돈총각이 대장으로 있는, 최근에 오픈한 동서울 어린이 천문대를 방문하였다.

지난 6월 야심차게 준비한 어린이 천문대는 경기도 구리 시에 위치하고 있는데, 접근성도 좋고 건물 3층에 있는 강의실은 어린이들의 천체에 대한 호기심을 채워줄 행성의 이름을 따서 지어졌고 입식과 좌식 강의실의 조화가 친근하게 느껴졌다.

즉석에서 천문대 대장, 기린 선생님의 수업도 받아 보며  동심으로 돌아가  즐거운 시간을 갖기도 했다.

기대되는 옥상의 관측소 구경을 했다.

관측소가 아주 넓어서 한여름 밤에 여기서 가족들 단위로 별 관측 프로그램을 진행하기에 손색이 없어 보였다.

천문대의 자랑인 주 망원경 ! 16인치 망원경은 목성과 토성을 300배

넘게 확대 시켜 준다고 한다. 그래서 목성의 줄무늬와 토성의 고리 틈새
까지 선명하게 관측할 수 있다고 한다.

천문대에 오는 어린이들이 환호할 모습이 그려진다,

관측소의 지붕이 돔인 이유는 최대한 빛의 방해를 막아서 주 망원경이 어두운 상황에서 빛을 모으고 확대하여 별을 더욱 잘 보이게 하기 위해서라는 설명을 들었다.

천문대 대장님의 유쾌하고 막힘없는 천문지식을 듣다 보니 동서울 천문대에 오는 어린 학생들은 상상력이 더 자극되고, 지식도 가득 채워서 돌아가겠다는 생각이 들었다

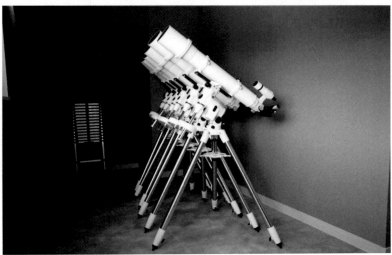

그밖에도 관측용 망원경들이 잘 준비 되어 있었다.

다시 강의실로 내려와 귀여운 캐릭터를 따라 내부를 둘러보니 게시판도 어린 학생들 눈높이에 맞게 쉽고 재미있게 잘 만들어져 있었다.

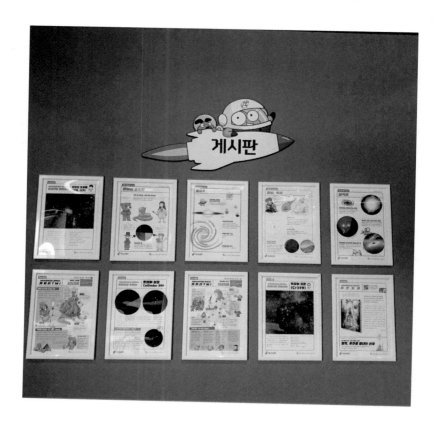

어린이들이 마음껏 생각하고, 질문 하며 답을 찾아가는 여정에서 새로운 꿈과 발견의 문을 여는 곳이 바로 어린이 천문대인 것 같다.

예쁘고, 잘 짜여진 프로그램을 갖춘 동서울 어린이 천문대에서 어린이들이 우주에 대한 무한한 꿈을 키워 나갔으면 좋겠다.

그동안 준비에 힘을 많이 쓰셨을 사돈어른들 그리고 최지웅 천문 대장님, 이곳이 미래의 천문학자들의 산실이 되기를 기원합니다.

# 4. 잊지 못할 생일

< 우정 > 이라고 하면 참 여러 가지가 떠오른다. 사전적 의미로는 학교 친구, 사회 친구, 동네 친구, 봉사활동 친구들과 맺은 정신적 유대감이라고 '지인'이나 '동맹'보다 더 강한 형태의 대인 관계라고 한다.

그런데 나는 자랑할 말한 특별한 우정을 갖고 있다.

오늘은 나의 60번째 생일이다. 요즘은 '회갑'이란 말도 잘 안 쓰고 가족들과 식사하면서 조용히 지내는 게 대세인지라 나도 식당에 가족들 초대해서 조촐하게 식사 대접을 하려고 했었다. 그런데 최근에 이사한 시집간 딸이 "아직 어른들을 집에 모시지 못했으니 엄마 회갑 겸 집에서 하겠다." 라고 하는 바람에 얼떨결에 그러자고는 했으나 여간 걱정이 되는 게 아니긴 했었다.

그냥 자기가 짠 메뉴만 검토해 달라고 하니 나도 나지만 작은 엄마 (나에게는 동서들 )들도 아직도 어린애 같은 조카의 호언장담에 걱정 반, 기대 반이었다.

모두 모일 수 있는 9월 24일 일요일로 날짜를 잡고 어른들께 주소도 보내고 사촌들 단톡방에도 올리고 아파트 커뮤니티에도 사연을 올려 교자상도 확보하는 등 딸과 사위는 착착 준비를 해나가고 있었다.

그 사이 남편의 정기 검진이 있어 병원에 가게 되었는데 지난 5월에 했던 수술에 문제가 생겨 재수술을 하자고 했다.

지난번 수술 후, 회복하는 동안 너무 고생을 많이 했던 경험이 있었던 지라 남편은 많이 힘들어하고 걱정을 많이 했다. 함께 온갖 자료 다 찾아보고, 병원에 가서 의사 선생님 면담도 다시 하고….

그러다 면역력이 떨어져 버린 것인지 남편은 코로나까지 걸려 버리게 되었다.

모든 생일 계획은 취소하기로 했다. 그러자 아들과 사위, 딸이 너무 섭섭해 하면서 우리끼리라도 집에서 조촐하게 보내자고 했지만 사회 생활하는 아이들이기에 조심스러워 내가 사양을 했다.

"엄마는 영원히 59세에 머무르고 싶어. 하하. " 코로나와 수술로 심란한 남편이 더 우선이었다.

그런데 동서들이 어차피 비워 났던 시간인데 잠시만 집에 들르겠다고 했고, 사돈어른께서 떡을 준비해 주셔서 그것만 잠깐 전해드리고 가겠다고 딸 내외도 잠시 오겠다고 했다.

서로 시간을 약속하지는 않았다는데 앞서거니 뒤서거니 시동생 분들도 함께 도착했다. 사돈어른께서 따끈따끈한 떡을 보내시고 동서들은 각자 아주 김치부터, 나물, 북어 찜, 밑반찬, 미역국, 갈비, 부침개, 북어조림, 케이크... 잔칫상 차림을 가득 준비해가지고 왔다. 생각지도 않은 큰 상을 받게 된 것이다.

마스크를 쓴 채 생일 노래도 함께 부르고, 케이크의 촛불을 끄고 남편이 잠깐 자리를 비켜줘서 떡과 케이크를 먹으며 축하도 듬뿍 받고 아주 행복한 시간이었다.

가족들이 돌아가고 밥을 먹는데 음식 하나하나가 정성스럽고 맛이 일품이었다. 입맛 잃었던 남편도 맛있게 잘 먹었다.

세상에 이런 동서들이 또 있을까? 아무리 생각해도 우리나라에서 나처럼 이런 호사를 누리는 사람은 없을 것 같다.

오늘, 어제의 일을 떠올려 보면 사돈어른과 동서들, 서방님들, 아들, 사위, 딸, 멀리 있어 오지 못했지만 함께 축하 해 준 영주 식구들 덕분에 평생 기억에 남는 60번째 생일을 보낸 것 같다.

모두 정말 고맙고, 고맙습니다.

# 제3화 감사

## 1. 국민연금 아카데미 2학기 시작

오늘은 집에서 컴퓨터로 서류 신청 하는 일이 있어서 서두르다 보니 연금 아카데미에 가는 시간이 빠듯했다.

평소에 잘 타지 않던 택시를 타고 "노원 50플러스로 가주세요." 했더니,

기사 분께서 고개를 갸우뚱하며 "거기는 뭐 하는 곳"이냐며 물어보신다.

"네, 여러 가지 프로그램으로 50세 이후 삶을 재설계 하는데 도움을 주는 기관이라고" 하니,

"그래서 손님은 그곳에서 무엇을 설계 하냐고" 재차 물어보신다.

'나의 설계는? 음 –.' "지난 30년간을 되돌아보고 앞으로의 30년을 설계하기 위해 나 자신에 집중하고, 기록하면서 11월에 책을 낼 예정이에요." 나도 모르게 대답이 술술 나온다.

1학기 수업을 듣는 동안 내가 국민50,088104명 중 0.00006% 안에 들어서 이런 좋은 수업을 듣는다는 게 감사하면서도 '과연 내가 책을 쓸수 있을까?'

같이 수업 듣고 있는 분들의 대단한 열정과 실력에 처음에는 자꾸 주눅 들어서 조그마해졌었고 나날이 갈등이었다.

　그러나 일상의 소박한 기록이 모여 콘텐츠가 되고, 꾸준한 포스팅이 곧 책이라는 결과물로 만들어진다는 강의를 믿고 블로그 이름과 닉네임을 2박3일 고민해서 재정비하고 나니 벌써 절반은 해낸 거 같은 뿌듯함이 생겼다.

　강의실로 들어가 대표님과 부대표님과 반가운 인사 나누고 1학기 동안 함께 해서 더 가까워진 작가님(연금아카데미에서는 모두를 그렇게 부른다)과 눈인사도 나누고 자리에 앉는다.

　이 무더위 오후 4시 반 수업은 졸리기 딱 좋은 시간인데 느슨해질 순간이 없다.

　Baby Brain을 가진 나이 들지 않는 어른들의 성장 프로그램이 시작되었다.

 1학기는 글을 쓰기 위한 디지털 Literacy의 체험과 동료 작가님들의 글로 간접 경험이었다면 2학기는 실전이다.

지금 아니면 언제? Just Start!
지금 사랑하고 있는 것들을 기록하자!
인생 자체가 책!

내 안에 이미 있는 거!

엄마, 아빠 아닌 나!
Be yourself !

글쓰기가 아니라

글 쓰는 습관을 배운다!

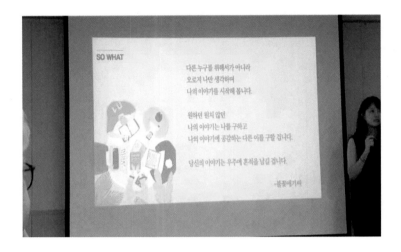

"삶에 대한 꾸준한 통찰력, 따뜻한 연민, 때로는 열정적인 애정에 의해
서만 글의 소재를 볼 수 있고 또 주워 올릴 수 있습니다."

"어제와 같은 뇌는 없다." - 발전 하거나 퇴보 한다.

"책을 읽으면 뇌가 젊어진다."
주말에 집에서 남편과 대화 중에 문득

나 : "11월의 출판 기념회 때 꽃 사들고 오는 거죠?"
남편 : "응, 걱정 말고 글이나 써놓고 ㅋㅋ"
나 : "당신 목에 리본 달고 나타나서 내가 꽃이다. ~ 이러면 안돼요.
ㅠㅠ"

남편 : "헉 ～ 들켰다. ㅎㅎㅎ."

  처음 연금 대학 나갔을 때, 권우실 대표님이 우리를 작가라고 불러 주자 어색해서 오글거렸는데, 대표님의 큰 그림에 세뇌되었는지 (︿︿) 간이 커진 건지 슬슬 나도 작가가 될 수도 있겠다는 상상을 해보게 된다.

## 2. 나에게 읽기란?

 연금 아카데미 추천 도서 중 하나인 < 아주 작은 반복의 힘 (Small Step) >은 UCLA 의과대학과 워싱턴의과 대학에 재직 중인 임상 심리학자인 로버트 마우어의 작은 변화와 반복의 힘을 강조하는 책이다.

결심이 1주일 이내에 1/4 포기하게 되고, 30일이 지나면 50% 이상 포기하게 되는 이유는 무엇일까?

나 자신의 능력을 넘어서는 방식으로 목표를 세웠기 때문이다. 너무나 쉬워서 도전이라는 생각기 들지 않을 정도, 너무나 간단해서 실패할 가능성이 없을 정도로 작게 잡아야 한다고 이 책에서는 설명하고 있다.

인간의 뇌는 :

1〉 대뇌피질 – 문명, 예술, 과학, 음악 등 고차원적으로 변화하거나 창조적 욕구를 추구하는 이성적 뇌

2〉 중뇌 (포유류의 뇌) – 편도체 조직으로 방어 반응 담당

3〉 뇌간( 파충류의 뇌 ) – 기본 욕구 기능

으로 이루어져 있는데 중뇌는 익숙한 지금의 상태를 유지하려는 성향이 강해서 변화를 싫어한다고 한다.

그러므로 중뇌가 눈치 채지 못하게, 저항하지 못하게 Small Step으로 대뇌피질 기능을 정상화함으로써 성공에 이르게 한다는 전략이다.

도전을 충분히 작게 만든다면 힘겨움이나 저항감을 느낄 수가 없다. 그러나 변화의 속도 때문에 울화가 치밀어 오른다면 지금 할 수 있는 것

보다 더 큰 것을 욕심냈기 때문이다.

또한 작은 방법을 사용했는데도 그에 대해 스트레스를 받는다면 그 방법은 지금의 뇌가 감당하기에 너무 크다는 뜻이다.

우리 생활에서 그러한 예를 무수히 찾아볼 수 있다. 예를 들어 주식으로 돈을 벌고 싶다면 너무나 설명과 분석이 잘되고, 좋은 디지털 정보는 주변에 많으니, 짧은 시간이라도 매일 꾸준히 읽고 들어서 주식시장의 흐름과 경제를 보는 안목을 키우다 보면, 어느새 위대한 기업, 투자할 만한 주식을 골라내는 안목이 생길 것이다.

건강과 자신감을 위해서 다이어트를 결심했다면 비싼 돈으로 단숨에 효과를 보는 프로그램보다는 나의 뇌가 게으름 피우려고 하지 않을 정도의 강도로 꾸준히 하다 보면 건강한 다이어트가 될 것 같다.

또한 이 책에서는 작은 습관을 반복함으로써 얻는 성공의 경험은 자신감을 키울 수 있으며, 이는 더 큰 성과를 이루는 데 도움이 된다고 쓰고 있다.

그렇다. 성공의 경험은 "중뇌"를 다스려서 내가 이루고자 하는 일의 로켓 엔진이 될 것 같다.

이렇게 주옥같은 지혜를 책 속에서 찾게 되니 나에게 읽기는 감 사 자체이다.

# 3. 강원국 작가의 <글쓰기> 특강

2023년 9월 22일에 과거 대통령의 연설 비서관을 지내고 지금은 전북 대학교 교수와 작가, 방송인으로 바쁘게 활동하고 있는 강원국 작가님이 연금 대학에 온다고 했다.

연말에 한 사람이 1권의 책을 낸다는 연금 대학의 교육목표 때문에 자나 깨나 글쓰기에 대한 두려움과 압박(^^)을 받고 있던 나는 꿈에서도 글을 쓰고 있는데, 유명한 분을 직접 만난다는 흥분과 함께 작가님에게 한 수 아니 열 수 전수 받을 각오로 1주일 전부터 작가님을 기다렸다.

작가님의 첫인상은 이웃집 지인인 듯 친근하였다. 어렸을 때 작가님이 학교에서 돌아왔는데 장학사이셨던 어머니가 평소와 다르게 일찍 귀가해 계신 것을 보고 너무 반가워 어머니께 달려가다가 창호지문이 뚫리고 부서졌다는 일화에 크게 웃었지만 곧 그날이 어머니가 위암 말기란 사실을 알게 된 날이었다고 했다.

초등학교 2학년 때 어머니가 돌아가시고, 어려서부터 지독한 외로움과 두려움이 생겨서 작가가 되기 전까지, 다른 사람과 관계의 단절이 두려워서, 상대의 기대에 부응하고, 나를 드러내기보다는 내 이름 없이 ~의 ○○○ 이었다는 고백에 나는 마음이 아파서 잠시 눈을 껌뻑 거리고 주위를 두리번거리며 눈물을 감추었다.

 물론 여러 대기업 회장님, 대통령, 총리실 등에서 능력이 인정받아 보
람도 있었겠지만 심한 외로움은 하루에 담배 15개를 피는 것과 맞먹는
스트레스라고 하는데 어린 강원국은 초등학교 때부터 얼마나 많은 담배

를 피운 걸까?

본인의 위암 해프닝으로 다니던 직장을 그만두고 글을 쓰기 시작해서 2014년 51세에 첫 책 <대통령의 글쓰기>를 발간하고 인기를 얻게 되고 본인의 브랜드를 찾게 되었다고 했다.

책을 발간하기 전 가장의 의무를 다 하기 위해 들어간 출판사에서 '책은 아무나 쓸 수 있다'란 자신감과 '앞으로 소속이 필요 없는 세상이 오면 자기 이름이 브랜드가 되는 △△에 정통한 ○○○가 되어야 한다'라는 깨달음을 얻었다고 했다. 즉 책은 작가에게는 "콘텐츠"였던 것이다.

## ♣ 강원국의 글쓰기 ♣

1〉책은 어휘에서 출발 한다 : 한 단어에 그 뜻과 유사어를 20개 이상 확인해 본다.

2〉문장 : 여러 예문을 찾아서 쓰임을 확인해 본다.

3〉문단 : 지식, 정보, 내 생각, 내 느낌, 본 것, 들은 것, 과거 기억 등이 생길 때마다 기록, 저장한다.

4〉글로 조합한다.

5〉책으로 완성.

## ♣ 강원국의 글쓰기 철학 ♣

1〉말하기, 듣기, 읽기, 쓰기가 같이 이루어져야 한다.

2〉독자를 위한 마음이 있어야 한다.

ㄱ. 예상 독자를 정해야 한다.

ㄴ. 그 사람의 질문을 생각해 본다.

ㄷ. 그 사람의 반응을 떠올려 본다.

ㄹ. 그 사람에게 위로, 희망, 자신감등 도움이 되어야 한다.

3〉 말하듯이 쓴 글이 좋은 글이다.: 글을 쓰려면 누구에게 말을 많이 해봐야 한다. 뒤로 갈수록 선명해진다.

♣ 강원국의 책 쓰기 팁 ♣

1〉 경험을 소환한다. : "어머니의 죽음","외로움","상대와 관계 단절에 대한 두려움"," 눈치 봄 "

2〉 서술은 구체적으로 한다.

※ 서술의 기법

ㄱ. 시간 순
ㄴ. 극적인 장면을 도입부에 넣는 법
ㄷ. 그 사건이 나에게 준 영향, 깨달음이 글에 녹아 있어야 한다.

3〉 글에 감정 입힌다. : "암 선고를 받았다" "아내는 덤덤했다" "배신감을 느꼈다 "

4〉 사람들에게 도움을 주거나 깨달음을 주는 내용이 들어 있어야 한다. 자기 개발서는 더욱 그렇다.

5〉 때로는 유명한 사람의 어록이나 우화를 덧붙인다. : 공감과 긴 울림이 있다.

이 밖에도 :

"책을 안 쓴 사람은 있으나 1권만 쓴 사람은 없다."

"글 쓸 자료를 볼 때 확실히 얻을 수 있다는 생각으로 뚫어져라 본다."

"자기가 가지고 있는 것을 일단은 다 쏟아 내 보아라. 글감이 보인다."

"글쓰기는 극장에 처음 들어갔을 때처럼 깜깜 하다가 점점 선명해지기 시작한다."

"사람들이 관심 있는 것, 묻는 것에 대해 써야 한다."

"관심 있는 분야의 다른 사람의 책 목차에서 쓸 거리를 찾아보자 " 등

"책은 아무나 나 쓸 수 있는 것" 이란 것에 힘을 얹어 주는 멋진 강의였다.

　연내 2권의 책 발간 계획과 강의, 방송일로 바쁘신 상황에도 연금 대학을 찾아 귀한 시간을 함께해 준 강원국 작가님께 감사의 인사를 전한다. 또한 우리의 글쓰기를 위해 진심 어린 관심과 기회 제공으로 밀고 당기고 있는 대표님, 부대표님 그리고 노원 50 플러스에 감사드린다.

## 4, 화장품 이야기

 예전에 모 화장품 업체에서 다 쓴 화장품 통을 가지고 오면 포인트로 적립해 줘서 현금처럼 쓸 수 있게 해주는 제도가 있었다,

 대학생 딸과 함께 화장품을 쓰는데 제때에 포인트로 교환하지 못했더니 빈 통이 순식간에 큰 봉지에 쌓여 갔다,

 "화장품 원료에 화학적 원료가 많이 들어가고, 인공 향은 잘 분해되지 못해  호흡기에 문제를 일으킬 수 있다"라고 하던데 갑자기 '평소에 내가 이렇게 많은 화학제품을 바르고 있었구나' 하고 더럭 겁이 났다.

 그래서 '내가 직접 화장품이나 비누를 만들어 보면 어떨까?' 손재주가 없어서 소위"똥 손"인 내가 화장품 배우는 곳을 검색하기 시작했다.

 역시 구하면 열린다고 가까운 곳에서 천연 화장품을 가르치는 선생님을 찾게 되었다. 나와 나이도 동갑이고, 재료를 아끼지 않고, 하나라도 더 주려고 하는 마음이 따뜻한 선생님과의 인연이 시작되었다.

 내 손에서 만들어지는 예쁜 MP 비누, 고품격, 고기능의 CP 비누, 클렌징 오일, 샴푸, 아로마칩, 스킨, 로션, 영양크림, 아이크림, 에센스, 앰풀, 세럼, BB크림, 향수, 디퓨저, 핸드크림, 풋 크림, 보디 크림, 립밤, 썬 크림, 자운고 연고, 에어쿠션 등 정말 다양한 제품들에 신이 나서 열심히 배워, 인스타그램 https://www.instagram.com/sigrakim/ 에 정리를 해

두었다.

이론과 실기를 열심히 배워서 비누 DIY, 화장품 DIY 1급 지도자 자격증도 따고 나중에 다른 기관에서 아로마 전문가 자격증도 따게 되었다.

화장품이 만들어지는 것도 신기하고 뿌듯하지만 3년째 인공 보존료나 인공 계면 활성제 free의 내가 만든 천연 화장품을 사용해 보니 피부가 숨을 쉬는 것 같아 좋다.

독일에서는 여성들이 자기가 쓰는 화장품을 직접 만들어서 쓰는 게 그리 특별한 일이 아니라고 한다.

좋은 재료, 내 피부에 도움이 되는 재료, 유통기한이 3개월이 넘지 않는 신선한 화장품을, 화려하지는 않지만 내가 직접 고른 용기에 담아서 나만의 화장품을 만들어 쓴다면 비용 면에서도 좋고 내 피부를 각종 유해물질로부터 자유롭게 해줄 것이다.

그리고 이 자리를 빌려서 나에게 천연 화장품을 정말 열정으로 가르쳐 주신 선생님께 감사의 인사를 전한다.

내가 만든 비누와 화장품 중에서 …

〈예쁜 MP 비누〉

〈영양크림〉　　　　　　　　　〈앰플〉

# 제4화 행복

## 1. 오페라 즐기기

나는 오케스트라, 성악, 연기, 무용, 의상, 무대, 조명의 종합 예술 오페라를 특히 좋아한다.

회사에서 가끔 오페라 표를 구할 수가 있어서 서울 올림픽 때 < 투란도트 >부터 바로크시대 귀한 오페라 < Orlando Finto Pazzo>까지 다양한 오페라에 남편을 거의 끌고 다녔다.

나는 좋아하는 공연이니까 눈을 반짝이며 감동하지만 남편은 CF에서 자주 듣던 <리골레토>의 '여자의 마음'이나 KBS 열린 음악회에 자주

등장하던 < 라 트라비아타>의 '축배의 노래' 같은 원치 않게 익숙한 아리아에만 반응을 할 뿐 거의 수면 모드였던 것 같다.

지금 생각해 보니 남편이 얼마나 힘들었을까? 마치 남자들끼리 하는 군대 시절 대화에  내가 끌려 나가 있는 모습이었을 것이다.

재작년에 노원 예술 문화회관의 오페라 갈라 공연에 갔었는데, 작품의 아리아가 시작되기 전 적절한 무대 배경과 함께, 진행자가 오페라에 대한 설명이나 에피소드를 간단하게 소개하고, 아리아를 듣는 형식이 아주 편안하고 이해하기에 좋았다. (그 설명으로 인해 <쟈니 스키키>의 '오 사랑하는 나의 아버지'가 감미로운 음악과 달리 사랑하는 '그'와의 결혼을 허락하지 않는다면 죽어버리겠다는 철없는 딸이 아버지에게 협박(?)성 있는 애원의 아리아라는 것도 알게도 되었다. )

부부는 취미가 같으면 좋고, 특히 나이 들어서는 더 그렇다는데….

나의 작전은 시작되었다. 우선 그림책이지만 성인 대상이 더 맞을 것 같은 <오페라 이야기> (전체적 설명과 함께 주요 작품은 1권씩 줄거리와 시대적 배경, 작곡자 소개가 개별적으로 되어 있다.)를 준비했다.

오페라는 남녀 간의 사랑 이야기를 주로 다루기 때문에 스토리도 재미있고 무용담도 들어있고 안타까움도 들어 있는 등 흥미진진하다.

나 : "내가 오늘부터 재미있는 책 읽어 줄게요."

남편 : "어. 이 사람이 갑자기 왜 이러시나. 흐흐"

나 : "13세기 독일의 튀링겐 지방에는 맑고 아름다운 계곡을 사이에 두고 ~"

나도 스토리가 궁금했던 바그너의 <탄호이저>를 읽어 내려가기 시작했다.

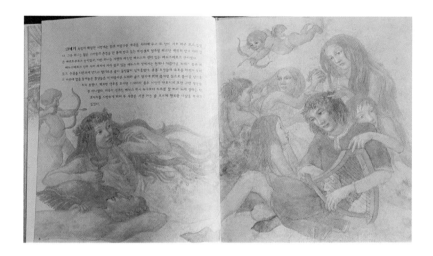

남편은 나보다 훨씬 아카데믹하기 때문에 듣다가 튀링겐 지방이 독일에서 어디에 위치하는지, 면적은 얼마나 되는지, 역사는 어떤지, 생소한 단어가 나오면 해결해야 하고…. 중간 중간 읽기가 멈춰지기는 했지만 덕분에 나도 공부가 되고 좋기는 했다.

39쪽짜리의 그림책을 그렇게 해서 2시간에 걸쳐 읽고 유튜브에서 <탄호이저> 서곡을 함께 들어 봤다.

느낌은! 정말 최고다. 힘들게 공부해서 작품이 어느 정도 이해가 되니 서곡은 한 줄기 시원한 산바람 같았다. 너무 좋다.

그렇게 봄부터 우리는 <라 보엠> <토스카> <피가로의 결혼> <세빌리아의 이발사> <아이다> <돈 지오반니> <나비부인> <라 트라비아타> <리골레토> <사랑의 묘약> <마술피리> <코시판 투테> <투란도트> <카르멘> <헨델과 그레텔> <쟈니스키키> <마술피리> <카발레리아 루스티카나> <나부코>….

지금도 읽고 있는 중이다.

지금은 유튜브에서 오페라 서곡이나 아리아들을 쉽게 접할 수 있어서 감상하기에 너무나 좋은 환경을 갖고 있다.

들어본 서곡 중에서 <탄호이저> <피가로의 결혼> <라 트라비아타> <나부코> <카르멘> 등이 좋았다.

아리아는 <쟈니 스키키>의 사랑하는 나의 아버지, <사랑의 묘약> 남몰래 흐르는 눈물 <나부코> 히브리 노예들의 합창 <라 트라비아타> 축배의 노래 <투란도트> 아무도 잠들지 말라 <리골레토> 여자의 마음 <카르멘> 하바네라 그리고 헨델의 <리날도> 울게 하소서가 많이 알려진 친근한 곡으로 부담 없이 듣기에 좋았다.

이렇게 스토리와 아리아로 무장 (?) 했으니 오는 가을에는 좋은 오페라 공연이 있다면 남편과 예쁘게 차려 입고 공연장에 가서 제대로 감상할 수 있을 것 같다.

♣ 굿 뉴스 ♣

하나: 남편도 오페라에 관심을 갖게 되고 자주 함께 아리아를 즐기게 되었다.

둘 : 카르멘과 세빌리아의 이발사 배경이 된 스페인 세비야를 2년 후에 방문해 보려고 적금을 넣기 시작했다.

〈세비야 스페인 광장〉

## 2. 행복이란 ….

정년퇴직을 하신 친정아버지께서는 PC에 흠뻑 빠지셨다. 지금이야 복지관이나 자치단체에서 PC 강좌가 잘 개설되어 있지만 26년 전 그 당시만 해도 어르신이 PC 배우기가 쉽지 않을 때 직접 책을 사서 공부, 아니 연구라는 표현이 맞을 만큼 하나씩 터득해 가시며 독수리 타법이지만 한자씩 글도 치시고 이메일 이란 것도 친구 분에게 배워서 보내시게 되었다.

아버지께서는 평생 영어 공부를 혼자서 하셔서 한국 대사관 행정관으로 파견 근무를 하실 정도로 끈기가 대단한 분이시니 아버지의 PC 능력은 나날이 늘어갔다.

혼자서의 연구로 자신감이 생긴 아버지는 건강이 염려될 정도로 더욱 매진하셨고, 한편으로는 직접 지으신  글과 시 그리고 예쁜 그림에 음악이 담긴 카드까지 ….

처음에는 신기해서 "아버지 멋지세요! 최고" "우리 아버지는 정말 천재이신 것 같아요♥♥"

아버지와의 이메일이 기다려지고 가끔은 고민 상담도 하는 등 아버지와 나만의 공간이 생긴 것이 참 좋았다.

그런데 점점 거의 폭탄 수준의 이메일에 (아버지는 새로운 기능을 익히시면 나에게 가장 먼저 보내시기 때문에) 받고도 답도 잘 안 하거나 심지어는 열어 보지 못할 때도 있었다.

요즘 내가 은퇴 후 배움의 재미에 흠뻑 빠져서 세상이 새롭게 보이는 이런 기분이셨을 텐데….

아버지가 돌아가시고 나서 아버지와의 추억을 정리하다 내가 안 열어본 이메일에

보글보글 청국장에
고등어 한 마리 구어서
아내와 마주한 밥상에
나는 행복합니다.

걸음마 떼는 나의 이메일에
"아버지 최고"라고
격려하는 딸이 있어
나는 행복합니다.

　아버지의 행복은 정말 소소한 것에 있었고 작은 관심에 있었는데 아버지께 온전히 공감해 드리지 못한 것이 너무 후회가 되고 죄송스러웠다.

　행복이란 무엇일까?
많은 유명인들이 각자의 어록을 남겼지만 나는 지켜 드리지 못한 아버지의 행복이 가장 가슴에 남는다.

　◆인생에 있어서 최고의 행복은 우리가 사랑받고 있다는 확신이다. - 빅토르 위고

◆행복은 사소한 것에 있다. - 존 러스킨

<아버지께서 좋아 하셨던 장미꽃.>

# 3. 몽돌 닮아가기

 우리 부부는 많이 다르다.

 남편은 계획적이고 실수를 용납 못하는 완벽주의인데 나는 약간 덜렁이고 즉흥적이다.

 남편은 매사를 분석하고 의심해 보고 또 확인, 고민하는 햄릿형이고 나는 보이는 그대로를 의심 없이 받아들이는 좋게 말해서 순진한 편이다.

 식성도 남편은 얼큰한 것을 좋아하고 익숙한 음식만을 고집하는 반면 나는 다양한 음식을 좋아해서 라면을 사도 신제품의 맛이 궁금해 시도해 보는 편이다.

 그런데 두 《다름이》가 의견의 일치를 보는 포인트가 있으니 바로 <여행>이다. 여행을 가기 전에는 시청 홈페이지 관광 자료를 검색해서 정보를 얻고, 부족한 부분은 담당자와 통화를 하고, 관광자료도 우편으로 부탁하기도 한다.

 덜렁 거리는 나도 이때만큼은 아주 꼼꼼이가 되어 여행의 동선까지도 다 체크하는 치밀성을 발휘한다.

 여행 스타일은 둘이다 털털한 편이라 비싼 음식 보다 그 지역 향토 맛에 더 끌리고, 젊었을 때는 텐트도 마다하지 않았는데 한 사람이 "이제는 우리도 숙소는 좀 업그레이드하자"라고 하면 바로 OK.

여행지에서 다리가 아프면 아메리카노 한 잔씩 앞에 놓고도 행복해하고, "아침은 간단히 컵라면 어때요?" 하면 "좋지~" 그러다가도 "우리 폼 좀 나는데 가서 한 끼는 먹을까?"라고하면 나는 재료값이 다 계산이 되더라도 "갑시다." 하고 쿨 하게 OK 한다.

'사이좋게 지내려면 집을 떠나서 떠돌아다녀야 하나?'

유난히도 습하고 무더웠던 올해 여름 막바지에 우리는 부산을 거쳐 거제도를 다녀왔다.

여행 계획표대로 첫날은 태종대에서, 둘째 날은 광안대교로 해운대에 접근하며 부산의 매력에 빠져 버렸다.

나의 리액션이 통했는지 기사분이 신나서 설명을 계속해 주시고 남편은 흐뭇한 표정으로 듣고 있었다.

동백섬 둘레길이 너무 예뻐 나는 남편을 자꾸 멈춰 세우며 연신 사진을 찍었다.

남편은 언제 챙겨 왔는지 데크 길가에 멈춰 하모니카를 불기 시작했고 나는 동영상으로 촬영해 유튜브에 올려 남편 친구들 단톡방에 공유를 했더니 친구들이 야단이 났다.

〈 동백섬과 묘하게 어울리는 하모니카 연주 〉

APEC 나루공원과 해변열차, 감천 문화마을 등을 둘러보고, 다음날은 거제도 가기 전에 부산 신항도 보고 ( 도시와 항구가 공존하는 게 마치 시드니 같다는 착각이 들었다) 르노 삼성 자동차 공장을 지나가며 그 규모에 놀랐다.

〈 동백섬 데크 길에서〉

　드디어 해저로 거제도에 이어지는 거가대교에 이르자 토목분야 일을
했던 남편이 자상하게 설명해 주었다.
　토목은 참 대단한 기술이고 그런 대단한 일을 했던 남편이 거가대교를
지나며 위대해 보였다.

　거제도에 도착한 날은 장대비가 쏟아져 오도 가도 못 하고 호텔에서

자고 또 자고 거의 일주일 치 잠은 다 잔거 같았다.

호텔이 바로 몽돌해변 앞이라 다음날 아침 해가 잠깐 나왔을 때 남편과 해변가를 걸었다.

파도가 들어왔다 몽돌 사이로 빠져나가는 소리는 정말 귀여워서, 남편이 아이들에게 들려줘야 한다고 녹음하자고 하면 "넵!" 하고 바로 녹음 시작한다. (이렇게 손발이 척척 맞으려면 역시 여행을 와야 한다니까.^^)

<몽돌해변의 몽돌들>

그러다가 먹구름에 장대비가 쏟아져 잠시 호텔로 피신했다가 빼꼼히 나온 해를 보고<매미 성>에 가서 알파치노 흉내도 내보고, 바닷가 횟집에 가서 <전어 정식>을 시켜서 먹다가 남편이 "에이 당신이 해준 밥보다  맛이 별로다." (남편도 이제야 아내의 진가가 보이나 보다 .^^)

또 비가 쏟아져 더 이상 관광을 포기하고 호텔로 돌아가다가, 다시 하늘이 개는 것 같아 <정글 돔>과 <바람의 언덕>을 부리나케 다녀왔다.

우리는 여행에 차를 안 가지고 다니기 때문에 많이 불편할 것 같지만 아직은 두 사람 다 '고생도 서바이블의 색다른 체험이다'.라고 뜻을 같이 하니 고생을 하는 대로 추억거리가 쌓인다.

우선 여행을 준비하면서 남편처럼 계획하고 미리 준비해 보니 시간을 절약할 수 있어서 내가 좋고, 매사에 지적하고 가르치려는 자세에서 상대를 존중하고 들어 주려고 해보니 부부 사이가 돈독해지고, 나도 남편의 의견을 존중하게 되니까 남편도 바뀌어 갔다.

서로의 <다름>이 몽돌 해변의 〈몽돌〉처럼 깎이고 조금씩 닮아져 가는 것 같다.

〈거제도 바람의 언덕에서 〉

# 4. 내가 닮고 싶은 분

우리 외할머니께서는 공부도 잘하고, 얼굴도 예쁘고, 마음씨도 고운 3남 2녀 중 막내딸인 이모에 대한 자부심이 대단하셨다.

평생 가족 뒷바라지만 하시던 전형적인 수줍은 주부이셨던 할머니께서는 처음에 안사돈님이 이모를 반대 하시자 이모가 만나고 있던 미래의 사위에게 긴 장문의 편지를 써서 할머니도 그러한 상황에서는 딸을 줄 수 없다고 단호히 두 사람의 만남을 반대하셨다고 했다.

할머니의 단호함으로 나중에 이모부가 되신 그분께서 정말 애 많이 쓰셨고, 할머니의 마음을 돌리려 정성을 다하셨다고 한다.

이모는 나에게 그 당시 귀하던 그린하우스 모나카도 사주시고 가끔 대학교 구경도 시켜주시고 데이트 때 데리고 다니기도 하셨다. ( 그래서 아마도 이모 약혼하기 전에 우리 집안에서 이모부를 내가 제일 처음 본 사람이었을 것이다.)

그 당시 나에게 이모는 닮고 싶은 롤 모델이었고 할머니께서 심혈을 기울여 준비해 주신 약혼식 원피스는 어리지만 내게 물려주셔서 잘 가지고 있다가 내가 대학생이 되어서 예쁘게 입었다.

이모는 평생 시부모님을 모시고 산 착한 며느리셨고, 어르신들이 가신 후 이모부님과 해외여행도 하고 재미나게 사셔야 할 때 마음씨 좋아 호

인이시던 이모부님이  쓰러지셨다.

이모는 이모부님 간호를 10년이 넘게 정성으로 하시고, 하루도 빠지지 않고 병원에 모시고가서 재활훈련 뒷바라지할 정도로 착한 아내셨다.

시간이 흘러 이모부님도 곁을 떠나시고 이모에게는 언니인 우리 엄마도 떠나시고, 나는 이제 이모가 엄마 같다.

작년에는 이모가 스마트폰을 배우러 내가 사는 노원까지 오셔서 내가 보조교사로 있는 강좌의 수업을 받으셨다.

수업 후에는 같이 점심도 먹고 1번 밖에 못 가긴 했지만 같이 영화도 보고, 딱 작년 요맘때 예쁜 가을을 배경으로 사진을 찍어 드리자 어린애처럼 좋아 하시면서도 "언니가 살아계셔서 이렇게 같이 예쁜 사진도 찍고 하면 얼마나 좋겠니?" 눈물이 그렁그렁 해지 시고, 그 모습에 나도 눈물이 주르륵….

이모님은 소녀 같으셔서 예쁜 것을 좋아하시고, 리액션도 많이 하시고, 겁도 많으시지만 그러나 내가 어휘 선택을 틀리게 하면 바로잡아 주시는 단호함과 명석함이 있으시다.

요즘은 집 근처 데이케어 센터에 다니시는데 아주 만족도가 높으시다. 아마도 이모님은 이과적인 머리를 가지셔서 그곳에서 계산력도 일등이실 뿐 아니라 다른 면에서도 우등생이실 것 같다,

이모만큼 착한 이모 딸 (내게는 이종사촌 )과 가끔 통화하면 '이모님의 행복'을 최우선으로 지켜드리자고 이야기를 많이 하게 된다.

내년에는 사촌 동생이 연구 년의 일환으로 잠시 외국 대학에서 근무하게 되어서, 내가 좀 더 자주 이모님을  찾아뵙고, 전화도 자주 드려야겠다.

이모님이 오래도록 건강하시고 행복하셨으면 좋겠다.~

# 작가의 말

올해는 참 특별하고도 꽉 찬 한해였던 것 같다. 3월부터 <K-디지털 금융 강사> 양성 과정과 7월에 시작된 <스마트폰 강사> 과정을 하나하나 마무리 지으면서 강사로서의 지식과 자질도 채워나가고, 더욱이 <국민연금 아카데미 연금대학>에서는 곧 나의 생애 첫 책 발간을 앞두고 있다.

책은 특별한 사람만 쓰는 것 인줄 알았는데, '책이야 말로 아무나 쓰는 것' 이라는 강원국 작가님의 격려와 '일상의 기록이 쌓이면 콘텐츠가 되고 그것이 쌓이면 <책>이란 큰 일이 생긴 다'라고 곁에서 이끌고 밀어주신 불꽃 애기씨 권우실 대표님, 함안때 정태욱 부대표님 덕분에 드디어 완성이 되었다.

책을 쓰려면 많은 직접 경험과 수려한 어휘력이 필요 할 것 같지만 요즘은 일상의 기록만으로도 나만의 특화된 경쟁력이 만들어진다.

AI 비서의 도움으로 자료 수집도 매우 편리하고, 어휘를 쉽게 확인 할 수 있는 장치, 나의 글을 인터넷상에 모아두는 공간도 너무나 잘 되어 있음을 <연금 대학>에서 알게 된 것도 큰 수확이라고 할 수 있겠다.

그리고 6개월간 함께한 30명의 작가님이 서로의 글쓰기 경험과 끌어주는 힘이 있어서 더욱 든든했다.

역시 혼자 보다는 '같이'의 힘이 느껴졌던 과정이었다.

며칠을 머릿속에만 맴돌다가 글이 터져 나와 쓰기 시작하면 옆에서 여러 가지 불편함을 감수 하며 격려와 조언을 아끼지 않은 남편, 엄마가 생애 첫 책을 완성해 가는 과정에 관심과 격려를 아낌없이 보내준 우리 아들, 사위, 딸에게 감사의 마음을 전한다. 또한 바빠진 며느리가 어른들을 잘 챙기지 못 했는데 이해해주신 시부모님께는 죄송한 마음을 전합니다.

그리고 부족한 나의 글이 처음으로 블로그에 올라갔을 때 첫 글부터 따뜻한 댓글로 용기를 주시고 나의 글마다 진심이 담긴 관심을 보여주신 '알라뚤라'님. 이 자리를 빌려 감사의 마음을 전한다.

'진심어린 댓글은 자판을 춤추게 한다.'

요즘은 더불어 사는 시대라서 '공부해서 남을 주어야 한다.'라고 한다.

올해 열심히 공부한 디지털 지식과 글을 쓴 경험을 주위 여러분들과 나누는 삶이 되었으면 좋겠다.

그리고 강원국 작가님이 특강 때 "책을 안 쓴 사람은 있어도 1권만 쓴 사람은 없다."라는 말이 글을 마무리 하며 나에게 살짝 설레는 숙제처럼 메아리 치고 있는 것 같다.

그래서 내년에는 남편과 함께 부부의 책을 출간해 봐야겠다는 계획을 세워 본다.

 마지막으로, 딸의 이야기가 책으로 나오면 가장 기뻐하실 하늘에 계신 부모님께 이 책을 바칩니다.

2023.10.28.
무르익은 아름다운 가을에 감사하며…
김 미영